D1647697

By ....

By ....

By ....

By ....

By ....

By ....

By ....

By ....

By ....

By ....

By ....

By ....

By ....

By ....

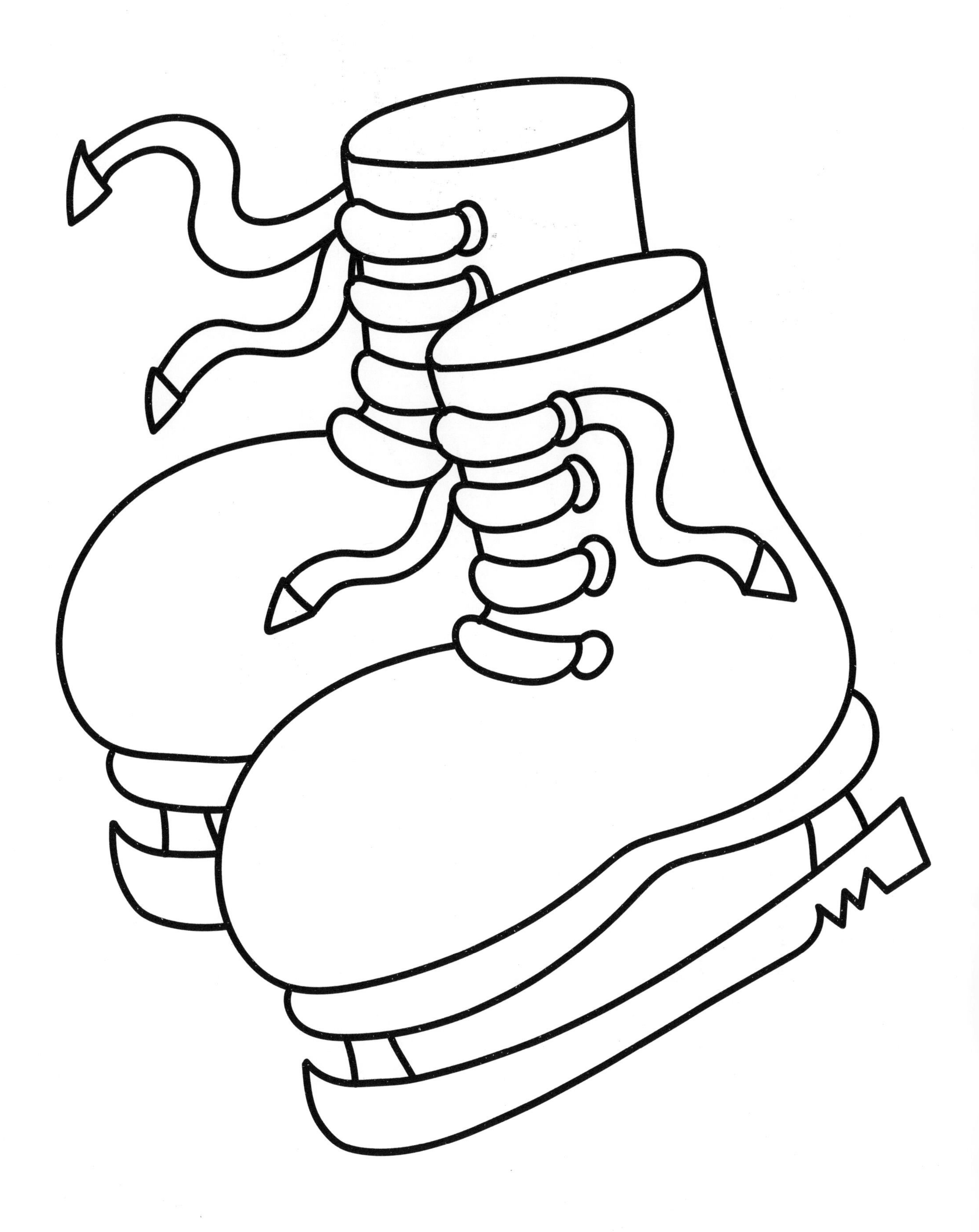

By ....

By ....

By ....

By ....

By ....

By ....

By ....

By ....

By ....

By ....

By ....

By ....

By ....

By ....

By ....

By ....

By ....

By ....

By ....

By ....

By ....

By ....

By ....

By ....

By ....

By ....

By ....

By ....

By ....

By ....

By ....

By ....

By ....

By ....

By ....

By ....

By ....

By ....

By ....

By ....

By ....

By ....

By ....

By ....

By ....

By ....

By ....

By ....

By ....

By ....

By ....

By ....

By ....

By ....

By ....

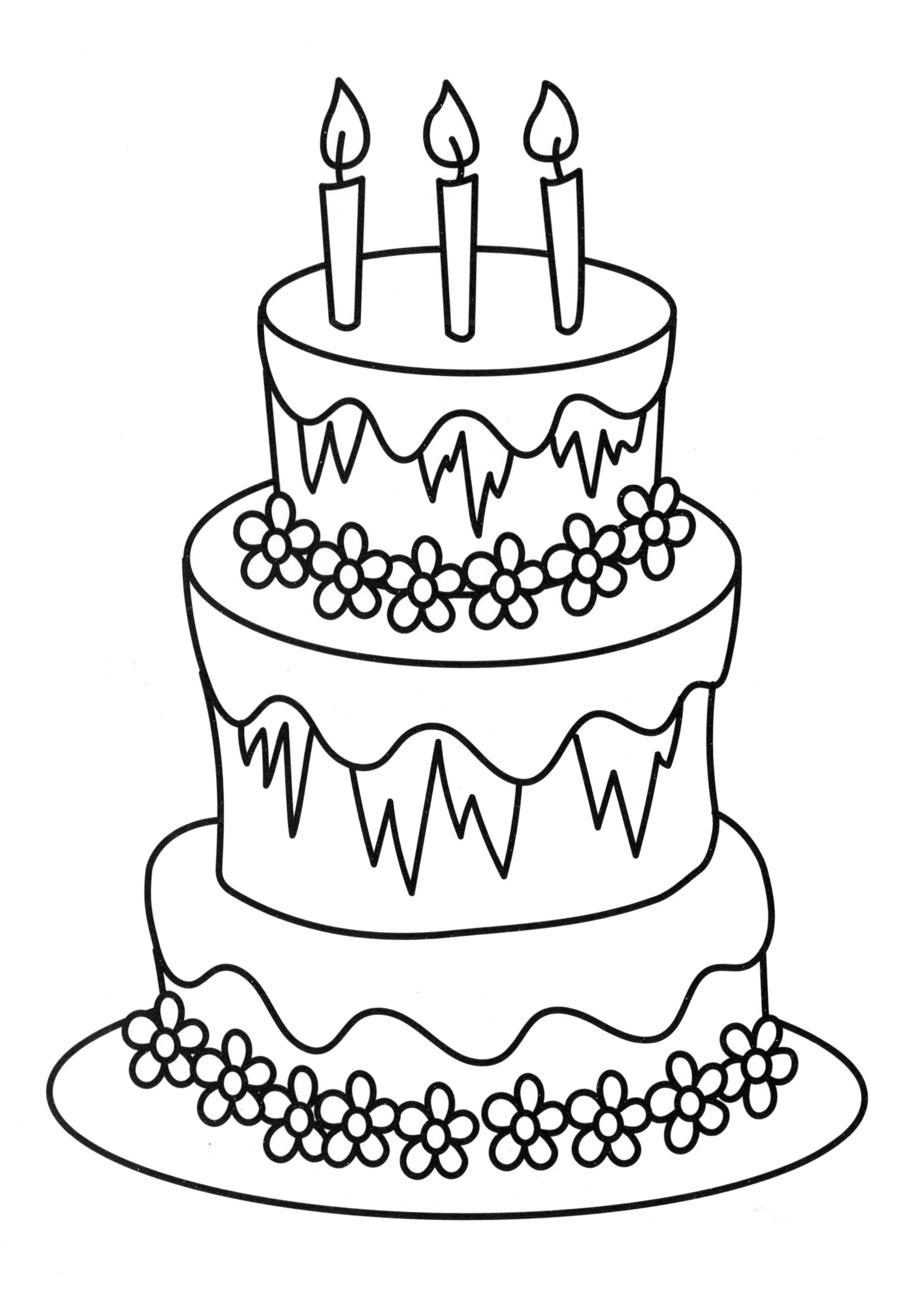

By ....

By ....

By ....

By ....

By ....

By ....

By ....

By ....

By ....

By ....

By ....

By ....

By ....

By ....

By ....

By ....

By ....

By ....

By ....

By ....

By ....

By ....

By ....

By ....

By ....

By ....

By ....

©2021 Brown Watson, England
Reprinted 2021, 2022
Printed in India